TUTORIAL DE CANAPÉS DE FIESTA

50 RECETAS EMOCIONANTES EN MENOS DE 30 MINUTOS

J.LUIZ

Descargo de responsabilidad

La información contenida i está destinada a servir como una colección completa de estrategias sobre las que el autor de este libro electrónico ha investigado. Los resúmenes, estrategias, consejos y trucos son solo recomendaciones del autor, y la lectura de este libro electrónico no garantiza que los resultados de uno reflejen exactamente los resultados del autor. El autor del eBook ha realizado todos los esfuerzos razonables para proporcionar información actualizada y precisa a los lectores del eBook. El autor y sus asociados no serán responsables de ningún error u omisión no intencional que se pueda encontrar. El material del eBook puede incluir información de terceros. Los materiales de terceros forman parte de las opiniones expresadas por sus propietarios. Como tal, el autor del libro electrónico no asume responsabilidad alguna por el material u opiniones de terceros.

TABLA DE CONTENIDO

TABLA DE CONTENIDO....................4

INTRODUCCIÓN....................8

MINI-BIT....................10

1. Bocaditos de burrito....................10
2. Mordeduras de pollo y nueces....................12
3. Dedos de pollo búfalo....................14
4. Pastel de carne molletes....................16
5. Bocaditos de tocino y aguacate....................18
6. Bocaditos de pizza....................20
7. Bocaditos de tocino y cebolleta....................22
8. Bocaditos de pollo envueltos en tocino....................24
9. Bocaditos de tocino y ostra....................26
10. Mordeduras de coliflor de búfalo....................28
11. Mini Churros de Chile con Chocolate....................30
12. Bocados de bullabesa....................32

COPAS DE FIESTA....................34

13. Copas de coliflor....................34
14. Tazas de macarrones con queso....................36

15. Tazas de quiche de Bolonia.................................38

16. Taza de muffin prosciutto.................................40

17. Tazas de coles de Bruselas.................................42

18. Copas de escarola.................................44

19. Tazas de taco.................................46

20. Tazas de jamón y queso cheddar.................................48

CRUDITOS.................................50

21. Crudites con deleite.................................50

22. Cruditas verdes y blancas.................................52

23. Cruditas de colinabo.................................54

24. Remoulade con crudites de verduras.................................56

25. Crudite esqueleto.................................58

26. Crudite de invierno picante.................................60

27. Fuente de crudites tricolor.................................62

28. Montón de verduras en un plato.................................64

DIPS DE FIESTA.................................66

29. Dip de cangrejo rangoon.................................66

30. Guacamole de Queso de Cabra.................................68

31. Dip / untable de fiesta bávara.............................70

32. Dip para fiesta de alcachofas al horno.............. 72

33. Dip de pollo Buffalo.. 74

34. Dip de pizza.. 76

35. Dip de rancho...78

36. Dip picante de camarones y queso........................80

37. Dip de ajo y tocino.. 82

38. Dip cremoso de pesto de queso de cabra.......... 84

39. Súper dip de pizza caliente...................................86

40. Dip de Espinacas y Alcachofas al Horno............ 88

POPS DE FIESTA..90

41. Paletas De Tocino Y Queso De Cabra..................90

42. Paletas de coco y vainilla......................................92

43. Paletas heladas de dulce de azúcar.....................94

44. Paletas de naranja y arándano.............................96

45. Paletas polinesias..98

46. Crema batida de melocotón CREAMSICLES...100

47. Paletas de chocolate.. 102

48. Conos de nieve de vidrio.. 104

49. Paletas de sandía.. 106

50. Paletas de Matcha... 108

CONCLUSIÓN.. 110

INTRODUCCIÓN

¿Quién no ama la comida para picar de fiesta? No solo son deliciosos; son esenciales para asegurarse de que sus invitados sonrían.

¿Qué son los bocadillos?

Los bocadillos son idealmente alimentos pequeños, del tamaño de un bocado, que deben comerse directamente con las manos, ¡sin necesidad de utensilios! En lugar de tenedor y cuchillos, las personas a menudo sirven estos mini aperitivos con brochetas o palillos de dientes para comer fácilmente.

Si le toma más de tres bocados terminarlo, ¡lo más probable es que no sea un verdadero bocadillo! Los alimentos de un bocado son el mejor tipo de aperitivo para servir porque no requieren servilletas y tienen poco o ningún desorden.

Los bocadillos han existido desde hace algún tiempo. Lo crea o no, se hicieron populares en la era de la prohibición cuando tenían bares clandestinos. ¡Los cócteles se servirían ilegalmente y acompañarían esas bebidas ilegales con alimentos pequeños que eran fáciles de servir y comer para mantener a la gente feliz y también para que bebieran!

¡Los bocadillos elegantes son perfectos para cócteles y eventos especiales o días festivos como bodas o Nochevieja! ¡Seguro que impresionarán y son perfectos para los adultos!

¡Empecemos entonces!

MINI-BIT

1. Bocaditos de burrito

Ingrediente

- 1 lata de tomates cortados en cubitos
- 1 taza de arroz instantáneo
- ⅓ taza de agua
- 1 Pimiento verde cortado en cubitos
- 2 Cebollas verdes, en rodajas
- 2 tazas de queso cheddar rallado, cantidad dividida
- 1 lata de frijoles refritos estilo rancho (16 oz)
- 10 Tortillas de harina (6-7 ")

- 1 taza de salsa

a) Precaliente el horno a 350 ° F. Rocíe una fuente para hornear de 9x12 "con PAM; reserve.

b) En una cacerola mediana, combine RO * TEL, arroz y agua; calentar hasta que hierva.

c) Reduzca el fuego, tape y cocine a fuego lento durante 1 minuto. Retirar del fuego y dejar reposar 5 minutos o hasta que se absorba todo el líquido. Agregue la pimienta, la cebolla y 1 taza de queso.

d) Extienda alrededor de 3 cucharadas de frijoles sobre cada tortilla a $\frac{1}{8}$ "del borde. Coloque la mezcla de arroz sobre los frijoles; enrolle. Coloque el lado de la costura hacia abajo en una fuente para hornear preparada; cubra con papel de aluminio.

e) Hornee en horno precalentado durante 25 minutos o hasta que esté caliente. Corta las tortillas en 4 pedazos y colócalas en una fuente. Cubra con salsa y queso. Cubra con salsa y queso. Regrese al horno y hornee por 5 minutos o hasta que el queso se derrita.

2. Mordeduras de pollo y nueces

Ingrediente

- 1 taza de caldo de pollo
- ½ taza de mantequilla
- 1 taza de harina
- 1 cucharada de perejil
- 2 cucharaditas de sal sazonada
- 2 cucharaditas de salsa inglesa

- 34 cucharaditas de semillas de apio
- $\frac{1}{2}$ cucharadita de pimentón
- $\frac{1}{8}$ cucharadita de Cayena
- 4 grandesHuevos
- 2 Pechugas de pollo escalfadas, sin piel
- $\frac{1}{4}$ taza de almendras tostadas

a) Precaliente el horno a 400 grados. En una sartén pesada, combine el caldo y la mantequilla y deje hervir. Batir la harina y el condimento.

b) Cocine, batiendo rápidamente, hasta que la mezcla salga de los lados de la sartén y forme una bola suave y compacta. Retírelo del calor. Agrega los huevos uno a la vez, batiendo bien hasta que la mezcla esté brillante. Agrega el pollo y las almendras.

c) Deje caer cucharaditas redondeadas en bandejas para hornear engrasadas. Hornea por 15 minutos. Congelar después de hornear.

3. **Dedos de pollo búfalo**

- 2 tazas de harina de almendras
- 1 cucharadita de sal
- 1 cucharadita de pimienta negra
- 1 cucharadita de perejil seco
- 2 huevos grandes
- 2 cucharadas de leche de coco enlatada entera
- 2 libras de filetes de pollo
- $1^1/_2$ tazas de salsa Frank's RedHot Buffalo

1 Precaliente el horno a 350 ° F.

2 Combine la harina de almendras, la sal, la pimienta y el perejil en un tazón mediano y reserve.

3 Batir los huevos y la leche de coco en un tazón mediano aparte.

4Sumerja cada pollo tierno en la mezcla de huevo y luego cúbralo completamente con la mezcla de harina de almendras. Organice las ofertas recubiertas en una sola capa sobre una bandeja para hornear.

5Hornee por 30 minutos, volteando una vez durante la cocción. Retirar del horno y dejar enfriar 5 minutos.

6Coloque los filetes de pollo en un tazón grande y agregue la salsa de búfalo. Mezcle para cubrir completamente.

4. Pastel de carne molletes

- 1 libra de carne molida
- 1 taza de espinaca picada
- 1 huevo grande, ligeramente batido
- $^{1}/2$ taza de queso mozzarella rallado
- $^{1}/4$ taza de queso parmesano rallado
- $^{1}/4$ taza de cebolla amarilla picada
- 2 cucharadas de chile jalapeño sin semillas y picado

1Precaliente el horno a 350 ° F. Engrase ligeramente cada pocillo de un molde para muffins.

2 Combine todos los ingredientes en un tazón grande y use sus manos para mezclar.

3Coloque una porción igual de la mezcla de carne en cada molde para muffins y presione ligeramente. Hornee durante 45 minutos o hasta que la temperatura interna alcance los 165 ° F.

5. **Bocaditos de tocino y aguacate**

- 2 aguacates grandes, pelados y sin hueso
- 8 rebanadas de tocino sin azúcar añadido
- 1/2 cucharadita de sal de ajo

1Precaliente el horno a 425 ° F. Cubra una bandeja para hornear galletas con papel pergamino.

2 Corta cada aguacate en 8 rebanadas de igual tamaño, lo que hace un total de 16 rebanadas.

3Corta cada trozo de tocino por la mitad. Envuelva media rebanada de tocino alrededor de cada pieza de aguacate. Espolvorea con sal de ajo.

4Coloque el aguacate en una bandeja para hornear galletas y hornee por 15 minutos. Encienda el horno para asar y continúe cocinando otros 2-3 minutos hasta que el tocino esté crujiente.

6. Bocaditos de pizza

- 24 rodajas de pepperoni sin azúcar
- 1/ 2 taza de salsa marinara
- 1/ 2 taza de queso mozzarella rallado

1 Encienda el asador del horno.

2 Cubra una bandeja para hornear con papel pergamino y coloque las rodajas de pepperoni en una sola capa.

3Ponga 1 cucharadita de salsa marinara en cada rebanada de pepperoni y extienda con una cuchara. Agregue 1 cucharadita de queso mozzarella encima de la marinara.

4 Coloque la bandeja para hornear en el horno y ase durante 3 minutos o hasta que el queso se derrita y se dore ligeramente.

5 Retirar de la bandeja para hornear y transferir a una bandeja para hornear forrada con papel toalla para absorber el exceso de grasa.

7. Bocaditos de tocino y cebolleta

- $^{1}/ 3$ taza de harina de almendras
- 1 cucharada de mantequilla sin sal, derretida
- 1 paquete (8 onzas) de queso crema, ablandado a temperatura ambiente
- 1 cucharada de grasa de tocino
- 1 huevo grande
- 4 rebanadas de tocino sin azúcar agregada, cocido, enfriado y desmenuzado en trozos
- 1 cebolla verde grande, solo la parte superior, en rodajas finas

- 1 diente de ajo picado
- $^{1}/$ 8 cucharadita de pimienta negra

1 Precaliente el horno a 325 ° F.

2 En un tazón pequeño, combine la harina de almendras y la mantequilla.

3Forre 6 tazas de un molde para muffins de tamaño estándar con moldes para magdalenas. Divida igualmente la mezcla de harina de almendras entre las tazas y presione suavemente en el fondo con el dorso de una cucharadita. Hornee en el horno 10 minutos, luego retire.

4Mientras se hornea la corteza, combine bien el queso crema y la grasa de tocino en un tazón mediano con una batidora de mano. Agregue el huevo y mezcle hasta que se combinen.

5 Incorpora el tocino, la cebolla, el ajo y la pimienta en la mezcla de queso crema con una espátula.

6Divida la mezcla en tazas, vuelva al horno y hornee otros 30-35 minutos hasta que el queso cuaje. Los bordes pueden estar ligeramente dorados. Para probar la cocción, inserte un palillo en el centro. Si sale limpio, la tarta de queso está lista.

7 Deje enfriar 5 minutos y sirva.

8. Bocaditos de pollo envueltos en tocino

- $^{3}/4$ libras de pechuga de pollo deshuesada y sin piel, cortada en cubos de 1 "
- $^{1}/2$ cucharadita de sal
- $^{1}/2$ cucharadita de pimienta negra
- 5 rebanadas de tocino sin azúcar añadido

1 Precaliente el horno a 375 ° F.

2 Mezcle el pollo con sal y pimienta.

3Corta cada rebanada de tocino en 3 trozos y envuelve cada trozo de pollo en un trozo de tocino. Asegúrelo con un palillo.

4Coloque el pollo envuelto en una rejilla para asar y hornee por 30 minutos, volteándolo a la mitad de la cocción. Encienda el horno para asar y ase de 3 a 4 minutos o hasta que el tocino esté crujiente.

9. Bocaditos de tocino y ostra

Ingrediente

- 8 rebanadas de tocino
- $\frac{1}{2}$ taza de relleno condimentado con hierbas
- 1 lata (5 oz) de ostras; Cortado
- $\frac{1}{4}$ de taza de agua

a) Precalentar el horno a 350 ° C. Corte las rebanadas de tocino por la mitad y cocine un poco. NO COCINAR DEMASIADO.

b) El tocino debe ser lo suficientemente suave para rodar fácilmente alrededor de las bolas. Combine el relleno, las ostras y el agua.

c) Enrolle en bolas del tamaño de un bocado, aproximadamente 16.

d) Envuelva las bolas en tocino. Hornee a 350 ° durante 25 minutos. Sirva caliente.

10. Mordeduras de coliflor de búfalo

- 1 taza de harina de almendras
- 1 cucharadita de ajo granulado
- $^{1}/2$ cucharadita de perejil seco
- $^{1}/2$ cucharadita de sal
- 1 huevo grande
- 1 coliflor de cabeza grande, cortada en floretes del tamaño de un bocado
- $^{1}/2$ taza de salsa Frank's RedHot
- $^{1}/4$ taza de ghee

1Precaliente el horno a 400 ° F. Cubra una bandeja para hornear con papel pergamino.

2 Combine la harina de almendras, el ajo, el perejil y la sal en una bolsa de plástico grande con cierre hermético y agite para mezclar.

3Batir el huevo en un tazón grande. Agregue la coliflor y revuelva para cubrir completamente.

4 Transfiera la coliflor a una bolsa llena con la mezcla de harina de almendras y mezcle para cubrir.

5 Coloque la coliflor en una sola capa en una bandeja para hornear y hornee por 30 minutos o hasta que se ablande y se dore ligeramente.

6 Mientras se hornea la coliflor, combine la salsa picante y el ghee en una cacerola pequeña a fuego lento.

7 Cuando la coliflor esté cocida, combine la coliflor con la mezcla de salsa picante en un tazón grande y mezcle para cubrir.

11. Mini Churros de Chile con Chocolate

Ingredientes

Churros:

- 1 taza de agua
- 1/2 taza de aceite de coco o mantequilla vegana
- 1 taza de harina
- 1/4 cucharadita de sal
- 3 huevos batidos
- Mezcla de azúcar y canela
- 1/2 taza de azúcar 1 cucharada de canela

Direcciones:

a) Precaliente el horno a 400 ° C; combine agua, aceite de coco / mantequilla y sal en una olla y deje hervir.

b) Batir la harina, revolviendo rápidamente hasta que la mezcla se convierta en una bola.

c) Agregue lentamente los huevos poco a poco, mezclando continuamente para asegurarse de que los huevos no se revuelvan.

d) Deje que la masa se enfríe un poco y luego transfiérala a su manga pastelera.

e) Coloque churros de 3 pulgadas de largo en filas en su bandeja para hornear engrasada.

f) Hornee en el horno durante 10 minutos a 400 grados y luego ase a fuego alto durante 1-2 minutos hasta que sus churros estén dorados.

g) Mientras tanto, mezcle la canela y el azúcar en un plato pequeño.

h) Una vez que los churros estén fuera del horno, enróllelos en la mezcla de canela y azúcar hasta que estén completamente cubiertos. Dejar de lado.

12. Bocados de bullabesa

Ingrediente

- 24 medianos Camarones - pelados y
- Desvenados
- 24 medianos Vieiras de mar
- 2 tazas Salsa de tomate
- 1 lata Almejas picadas (6-1 / 2 oz)
- 1 cucharada Pernod
- 20 Mililitros

- 1 Hoja de laurel
- 1 cucharadita Albahaca
- ½ cucharadita Sal*
- ½ cucharadita Pimienta recién molida
- Ajo - picado
- Azafrán

a) Brocheta de camarones y vieiras en brochetas de bambú de 8 pulgadas, usando 1 camarón y 1 vieira por brocheta; envuelva la cola de camarón alrededor de la vieira.

b) Mezcle la salsa de tomate, las almejas, el Pernod, el ajo, la hoja de laurel, la albahaca, la sal, la pimienta y el azafrán en una cacerola. Ponga la mezcla a punto Acomode el pescado ensartado en una fuente para hornear poco profunda.

c) Rocíe la salsa sobre las brochetas. Hornee, sin tapar, a 350 grados durante 25 minutos. Rinde 24

COPAS DE FIESTA

13. Copas de coliflor

- 11/2 tazas de arroz con coliflor
- 1/ 4 taza de cebolla picada
- 1/ 2 taza de queso pepper jack rallado
- 1/ 2 cucharadita de orégano seco
- 1/ 2 cucharadita de albahaca seca
- 1/ 2 cucharadita de sal
- 1 huevo grande, ligeramente batido

1 Precaliente el horno a 350 ° F.

2 Combine todos los ingredientes en un tazón grande para mezclar y revuelva para incorporar.

3 Vierta la mezcla en los pocillos de un molde para muffins y empaque ligeramente.

4Hornee por 30 minutos o hasta que las tazas comiencen a crujir. Dejar enfriar un poco y retirar del molde.

14. Tazas de macarrones con queso

Ingredientes

- 8 oz de macarrones con codo
- 2 cucharadas de mantequilla con sal
- 1/4 cucharadita de pimentón (use pimentón ahumado si lo tiene)
- 2 cucharadas de harina
- 1/2 taza de leche entera
- 8 oz de queso cheddar picante rallado
- cebolletas picadas o cebolletas para decorar
- mantequilla para engrasar la sartén

Direcciones:

a) Engrasar muy bien un molde antiadherente: mini muffins con mantequilla o antiadherente: aceite en aerosol. Precaliente el horno a 400 grados F.

b) Ponga a hervir una olla de agua con sal a fuego alto, luego cocine la pasta por 2 minutos menos de lo que dice el paquete.

c) Derretir la mantequilla y agregar el pimentón. Agregue la harina y revuelva la mezcla durante 2 minutos. Mientras bate, agregue la leche.

d) Retire la olla del fuego y agregue los quesos y la pasta escurrida, revolviendo todo junto hasta que el queso y la salsa estén bien distribuidos.

e) Divida su macarrones con queso en los moldes para muffins, ya sea con una cuchara o una cucharada de galletas de 3 cucharadas.

f) Hornee las tazas de macarrones con queso durante 15 minutos, hasta que burbujeen y estén pegajosas.

15. Tazas de quiche de Bolonia

Ingrediente

- 12 Rodajas de Bolonia
- 2 Huevos
- $\frac{1}{2}$ taza Mezcla de galletas
- $\frac{1}{2}$ taza Queso picante rallado
- $\frac{1}{4}$ de taza Salsa dulce de pepinillos
- 1 taza Leche

a) Coloque las rodajas de mortadela en moldes para muffins ligeramente engrasados para formar tazas.

b) Mezcle los ingredientes restantes. Vierta en tazas de mortadela.

c) Hornee a (400F) durante 20-25 minutos o hasta que esté dorado.

16. **Taza de muffin prosciutto**

- 1 rebanada de prosciutto (aproximadamente 1/2 onza)
- 1 yema de huevo mediana
- 3 cucharadas de queso brie cortado en cubitos
- 2 cucharadas de queso mozzarella cortado en cubitos
- 3 cucharadas de queso parmesano rallado

1Precaliente el horno a 350 ° F. Saque un molde para muffins con pocillos aproximadamente $2^{1}/_{2}$"de ancho y $1^{1}/_{2}$" profundo.

2Doble la rebanada de prosciutto por la mitad para que quede casi cuadrada. Colóquelo bien en un molde para muffins para forrarlo por completo.

3 Coloque la yema de huevo en una taza de prosciutto.

4 Agregue los quesos sobre la yema de huevo suavemente sin romperla.

5 Hornee unos 12 minutos hasta que la yema esté cocida y tibia pero aún líquida.

6 Deje enfriar 10 minutos antes de sacarlo del molde para muffins.

17. Tazas de coles de Bruselas

Ingrediente

- 12 coles de Bruselas medianas
- 6 onzas Yukon Gold patatas
- 2 cucharadas de leche desnatada
- 1 cucharada de aceite de oliva
- $\frac{1}{8}$ cucharadita de sal
- 2 onzas Trucha ahumada, sin piel

- 1 pimiento rojo asado, cortado en tiras de 2 por 1/8 de pulgada

a) Precalentar el horno a 350

b) Recorte los tallos, córtelos por la mitad a lo largo, retire el corazón dejando tazas de hojas de color verde más oscuro.

c) Cocine al vapor las tazas de brotes durante 6 minutos o hasta que estén tiernas cuando las pinches con un cuchillo afilado y aún estén de color verde brillante.

d) Escurrir boca abajo sobre toallas de papel. Cocine las patatas hasta que estén tiernas, escurra, añada leche, aceite de oliva y sal.

e) Batir hasta que quede suave. Incorpora suavemente la trucha. + $\frac{1}{4}$> vierta en las cáscaras y coloque las tiras de pimiento encima.

18. **Copas de escarola**

- 1 huevo duro grande, pelado
- 2 cucharadas de atún enlatado en aceite de oliva, escurrido
- 2 cucharadas de pulpa de aguacate
- 1 cucharadita de jugo de limón fresco
- 1 cucharada de mayonesa
- 1/ 8 cucharadita de sal marina
- 1/ 8 cucharadita de pimienta negra
- 4 hojas de escarola belga, lavadas y secas

1 En un procesador de alimentos pequeño, mezcle todos los ingredientes excepto la endibia hasta que estén bien mezclados.

2 Coloque 1 cucharada de mezcla de atún en cada taza de endivias.

3 Servir inmediatamente.

19. **Tazas de taco**

- Chile en polvo, comino, pimentón
- Sal, pimienta negra
- 1/ 4 cucharadita de orégano seco
- 1/ 4 cucharadita de hojuelas de pimiento rojo triturado
- 1/ 4 cucharadita de ajo granulado
- 1/ 4 cucharadita de cebolla granulada
- 1 libra 75% de carne molida magra

- 8 (1 onza) rebanadas de queso cheddar fuerte
- 1/ 2 taza de salsa sin azúcar agregada
- 1/ 4 taza de cilantro picado
- 3 cucharadas de salsa Frank's RedHot

1Precaliente el horno a 375 ° F. Cubra una bandeja para hornear con papel pergamino.

2Combine las especias en un tazón pequeño y revuelva para mezclar. Cocine la carne molida en una sartén mediana a fuego medio-alto. Cuando la carne esté casi lista, agregue la mezcla de especias y revuelva para cubrir completamente. Retirar del fuego y dejar de lado.

3Coloque las rodajas de queso cheddar en una bandeja para hornear forrada. Hornee en horno precalentado 5 minutos o hasta que comience a dorar. Deje enfriar 3 minutos y luego pele de la bandeja para hornear y transfiera cada rebanada al pozo de un molde para muffins, formando una taza. Dejar enfriar.

4Coloque cantidades iguales de carne en cada taza y cubra con 1 cucharada de salsa. Espolvoree cilantro y salsa picante encima.

20. Tazas de jamón y queso cheddar

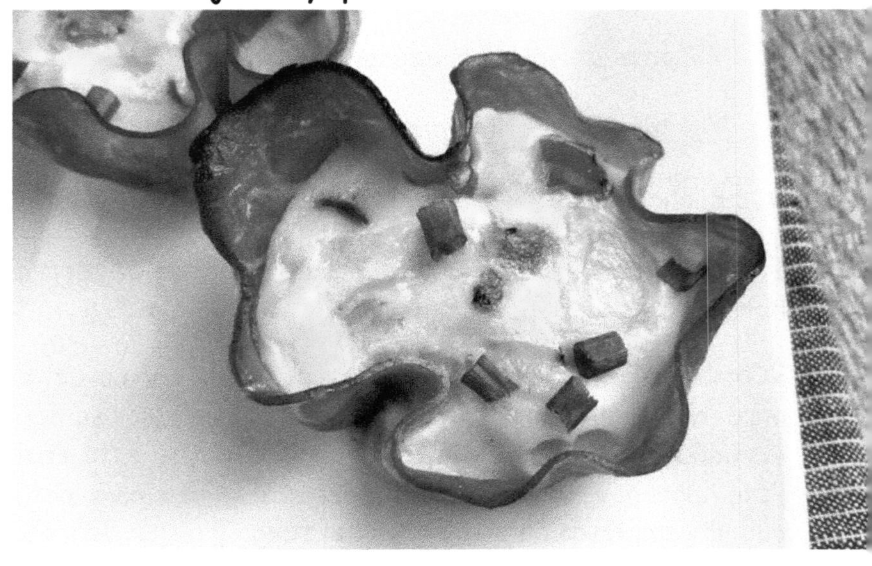

Ingrediente

- 2 tazas de harina para todo uso
- $\frac{1}{4}$ de taza) de azúcar
- 2 cucharaditas de polvo de hornear
- 1 cucharadita de sal
- $\frac{1}{4}$ de cucharadita de pimienta
- 6 Huevos
- 1 taza de leche
- $\frac{1}{2}$ libras Jamón completamente cocido; cubicado

- $\frac{1}{2}$ libras Queso cheddar; cortado en cubitos o rallado
- $\frac{1}{2}$ libras Tocino en rodajas; cocido y desmenuzado
- 1 cebolla pequeña; picado muy fino

a) En un tazón, combine la harina, el azúcar, el polvo de hornear, la sal y la pimienta. Batir los huevos y la leche; revuelva con los ingredientes secos hasta que estén bien mezclados. Agregue el jamón, el queso, el tocino y la cebolla.

b) Llene los moldes para muffins bien engrasados hasta tres cuartos de su capacidad.

c) Hornee a 350 ° durante 45 minutos. Déjelo enfriar durante 10 minutos antes de colocarlo en una rejilla.

CRUDITOS

21. Crudites con deleite

Ingrediente

- 2 cucharaditas de aceite de oliva
- 1 taza de cebolla finamente picada
- 1 cucharada de ajo picado
- 1 taza de tomates triturados enlatados
- 1 cucharadita de jugo de limón fresco
- $\frac{1}{4}$ taza de tomates secados al sol
- $\frac{1}{4}$ de taza de aceitunas verdes sin hueso; (como 10)

- $\frac{1}{4}$ de taza (empaquetada) de hojas frescas de albahaca
- 4 grandesCorazones de alcachofa en conserva escurridos
- 2 cucharadas Perejil fresco picado
- 2 cucharadas Piñones tostados
- Verduras variadas

a) Caliente el aceite en una sartén antiadherente mediana a fuego medio. Agregue la cebolla y saltee hasta que comience a ablandarse, aproximadamente 3 minutos. Agrega el ajo; saltear 30 segundos. Agregue los tomates enlatados y el jugo de limón. Llevar a fuego lento. Retírelo del calor.

b) Combine los tomates secados al sol y los siguientes 5 ingredientes en el procesador. Usando turnos de encendido / apagado, procese hasta que las verduras estén finamente picadas. Transfiera a un tazón mediano. Incorpora la mezcla de tomate. Condimentar con sal y pimienta.

22. Cruditas verdes y blancas

Ingrediente

- ½ taza de yogur natural
- ½ taza de crema agria
- ½ taza de mayonesa
- 1½ cucharadita de vinagre de vino blanco; o al gusto
- 1½ cucharadita de mostaza de grano grueso
- 1 diente de ajo grande; picado y triturado
- 1 cucharadita de anís; aplastada
- 2 cucharaditas de Pernod; o al gusto

- $1\frac{1}{2}$ cucharada de hojas de estragón picadas
- 12 tazas de crudités surtidos

a) En un tazón mezcle todos los ingredientes excepto las hierbas con sal y pimienta al gusto. Enfríe, cubierto, por lo menos 4 horas y hasta 4 días. Justo antes de servir, agregue estragón y perifollo.

b) Organice los crudités de forma decorativa en un plato para servir escalonado o en una canasta grande y sirva con salsa.

23. Cruditas de colinabo

Ingrediente

- ½ taza de salsa de soya; luz
- ½ taza de vinagre de arroz
- 1 cucharadita de semillas de sésamo; tostado
- 1 cucharada de cebolletas; picado
- 4 tazas de rodajas de colinabo; cortar en trozos

a) Combine salsa de soja, vinagre, semillas de sésamo y cebolletas.

b) Sirve en un bol rodeado de trozos de colinabo.
   Proporcione selecciones para comer.

24. Remoulade con crudites de verduras

Ingrediente

- ½ taza de mostaza criolla o marrón
- ½ taza de aceite de ensalada
- ¼ de taza de salsa de tomate
- ¼ taza de vinagre de sidra

- $\frac{1}{4}$ de cucharadita de salsa tabasco
- 2 cucharadas de apio finamente picado
- 2 cucharadas de cebolla finamente picada
- 2 cucharadas de pimiento verde finamente picado
- tomates cherry
- Rebanadas de champiñones
- Rebanadas de pepino
- Rodajas de apio
- Rodajas de zanahoria

a) Combine mostaza, aceite, salsa de tomate, vinagre, Tabasco y verduras picadas; cubra y enfríe.

b) Sirva la salsa con vegetales enteros y en rodajas.

25. Crudite esqueleto

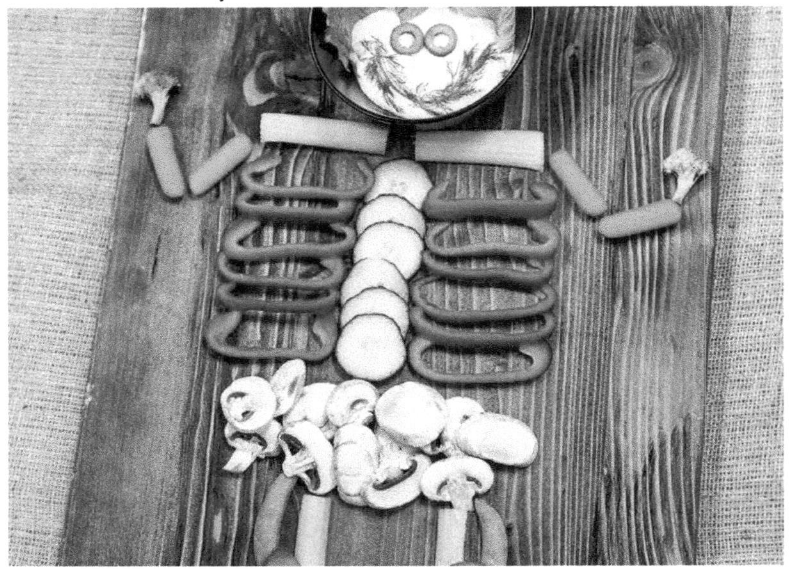

Ingrediente

- 3 tazas de yogur descremado
- 1 taza de mayonesa
- ½ taza de mermelada de durazno
- 1 cucharadita de jugo de naranja
- ½ cucharadita de curry en polvo
- ½ cucharadita de pimienta.

Ingredientes del esqueleto

- 1 calabacín cortado por la mitad a lo largo

- 1 calabaza amarilla cortada por la mitad
- 6 costillas de apio cortadas por la mitad a lo largo
- 1 pepino cortado en rodajas
- 1 zanahoria cortada en palitos
- 10 dedos de zanahoria baby
- 1 pimiento rojo cortado en tiras de 2 pulgadas de grosor
- 1 pimiento amarillo cortado en tiras de 2 pulgadas de grosor
- 2 floretes de brócoli / 2 floretes de coliflor
- 10 guisantes / 2 tomates cherry
- 2 champiñones / 1 rábano
- 4 judías verdes / 2 judías amarillas

a) Mezcle 3 tazas de yogur bajo en grasa, 1 taza de mayonesa, $\frac{1}{2}$ taza de mermelada de durazno, 1 cucharadita de jugo de naranja, $\frac{1}{2}$ cucharadita de curry en polvo y $\frac{1}{2}$ cucharadita de pimienta en un tazón del tamaño de una calavera o una cabeza de lechuga extraída. Refrigerar.

b) Ensamblar esqueleto

26. Crudite de invierno picante

Ingrediente

- 1 Cebolla roja; pelado en rodajas
- 1 Pimiento verde; sembrado y cortado
- 1 Pimiento rojo o amarillo; sembrado y cortado
- 1 Nabo; pelado y finamente
- 2 tazas de floretes de coliflor
- 2 tazas de floretes de brócoli
- 1 taza de zanahorias tiernas; recortado
- ½ taza de rábanos en rodajas finas

- 2 cucharadas de sal
- $1\frac{1}{2}$ taza de aceite de oliva
- 1 Cebolla amarilla; pelado y finamente; Cortado
- $\frac{1}{8}$ cucharadita de hebras de azafrán
- Una pizca de cúrcuma, comino molido, pimienta negra, pimentón, cayena, sal

a) Coloque las verduras preparadas en un bol grande, espolvoree con las 2 cucharadas de sal y agregue el agua fría.

b) Al día siguiente, escurrir y enjuagar las verduras. Prepare la marinada hirviendo a fuego lento la cebolla, las especias y la sal en el aceite de oliva durante 10 minutos.

c) Extienda las verduras en un plato de 9 x 13 pulgadas. Vierta la marinada caliente sobre ellos.

d) Transfiera a un tazón decorativo para servir, ya sea frío oa temperatura ambiente.

27. Fuente de crudites tricolor

Ingrediente

- ¼ de taza Plus 1T de vinagre de vino tinto
- 3 cucharadas de mostaza de Dijon
- ½ taza más 2 cucharadas de aceite de oliva
- 2 cucharadas de albahaca fresca picada O
- 2 cucharaditas de albahaca seca
- 2 cucharadas de cebolletas frescas picadas o
- Cebollas verdes

- 1 cucharadita de romero fresco picado
- 2 Pepinos grandes, pelados,
- 2 cucharaditas de sal
- 2 Remolacha cruda grande, pelada, rallada
- 2 Zanahorias grandes, peladas, ralladas
- 2 Calabacín grande rallado
- 1 Racimo de rábanos, recortado

a) Batir el vinagre y la mostaza Dijon para mezclar en un tazón pequeño. Incorpora poco a poco el aceite de oliva. Incorpora la albahaca, el cebollino y el romero. Condimentar con sal y pimienta.

b) Mezcle los pepinos y 2 cucharaditas de sal en un tazón. Deje reposar 1 hora. Enjuagar y escurrir bien. Coloque los pepinos en un tazón pequeño; agregue suficiente aderezo para cubrir.

c) Coloque las remolachas, las zanahorias y los calabacines en tazones separados. Mezcle cada verdura con suficiente aderezo para cubrir.

28. Montón de verduras en un plato

Ingrediente

- 1 taza de maíz enlatado, escurrido
- 1 cebolla verde pequeña, picada
- 1 Pimiento verde picado
- 1 Diente de ajo picado
- 1 tomate fresco grande, picado
- $\frac{1}{4}$ taza de perejil fresco picado
- $\frac{1}{4}$ taza de aceite de oliva virgen extra
- 2 cucharadas   Vinagre balsámico

- Sal pimienta
- 1 cebolleta picada

a) Mezclar el maíz con la cebolla, el pimiento verde, el ajo y el tomate. En un tazón o taza pequeño aparte, mezcle el aceite de oliva y el vinagre.

b) Vierta sobre vegetales, mezcle con perejil; Condimentar con sal y pimienta. Adorne cada porción con cebolletas.

DIPS DE FIESTA

29. Dip de cangrejo rangoon

- 1 paquete (8 onzas) de queso crema, ablandado a temperatura ambiente
- 2 cucharadas de mayonesa de aceite de oliva
- 1 cucharada de jugo de limón recién exprimido
- 1/ 2 cucharadita de sal marina
- 1/ 4 cucharadita de pimienta negra
- 2 dientes de ajo picados

- 2 cebollas verdes medianas, cortadas en cubitos
- 1/ 2 taza de queso parmesano rallado
- 4 onzas (aproximadamente 1/2 taza) de carne de cangrejo blanca enlatada

a) Precaliente el horno a 350 ° F.
b) En un tazón mediano, mezcle el queso crema, la mayonesa, el jugo de limón, la sal y la pimienta con una licuadora de mano hasta que estén bien incorporados.
c) Agregue el ajo, la cebolla, el queso parmesano y la carne de cangrejo y mezcle con una espátula.
d) Transfiera la mezcla a una olla para horno y extiéndala uniformemente.
e) Hornee de 30 a 35 minutos hasta que la parte superior de la salsa esté ligeramente dorada. Sirva caliente.

30. Guacamole de Queso de Cabra

Sirve: 4-6

Ingredientes

- 2 aguacates
- 3 onzas de queso de cabra
- ralladura de 2 limones
- jugo de limón de 2 limas
- $\frac{3}{4}$ cucharadita de ajo en polvo
- $\frac{3}{4}$ cucharadita de cebolla en polvo
- $\frac{1}{2}$ cucharadita de sal
- $\frac{1}{4}$ de cucharadita de hojuelas de pimiento rojo (opcional)
- $\frac{1}{4}$ de cucharadita de pimienta

Direcciones:

a) Agregue los aguacates a un procesador de alimentos y mezcle hasta que quede suave. Agrega el resto de los ingredientes y licúa hasta que se incorporen.

b) Sirve con papas fritas.

31. Dip / untable de fiesta bávara

Rendimiento: 1 1/4 libra

Ingrediente

- ½ taza Cebollas picadas
- 1 libra Braunschweiger de la marca bávara de Kahn
- 3 onzas Queso crema
- ¼ de cucharaditaPimienta negra

a) Saltee las cebollas de 8 a 10 minutos, revolviendo con frecuencia; Retirar del fuego y escurrir. Retire la envoltura del Braunschweiger de la marca bávara de Kahn y mezcle la carne con el queso crema hasta que quede suave. Mezcle la cebolla y el pimiento.

b) Sirva como un hígado para untar sobre galletas, centeno de fiesta en rodajas finas o sirva como salsa acompañado de una variedad de vegetales crudos frescos como zanahorias, apio, brócoli, rábanos, coliflor o tomates cherry.

32. Dip para fiesta de alcachofas al horno

Ingrediente

- 1 Hogaza de pan de centeno oscuro grande
- 2 cucharadas Manteca
- 1 manojo Cebollas verdes; Cortado
- 6 Dientes de ajo frescos; finamente picada, hasta 8
- 8 onzas Queso crema; a temperatura ambiente.
- 16 onzas de crema agria
- 12 onzas de queso cheddar rallado

- 1 lata (14 oz) de corazones de alcachofa; escurrido y cortado en cuartos (empacado en agua, no marinado)

a) Haga un agujero en la parte superior de la barra de pan de aproximadamente 5 pulgadas de diámetro. Retire el pan blando de la porción cortada y deséchelo. Reserve la corteza para hacer la parte superior del pan.

b) Saque la mayor parte de la parte interior blanda del pan y guárdelo para otros fines, como relleno o migas de pan secas. En la mantequilla

c) Sofreír las cebollas verdes y el ajo hasta que las cebollas se marchiten. Cortar el queso crema en trozos pequeños, agregar la cebolla, el ajo, la crema agria y el queso cheddar. Mezclar bien. Doblar en corazones de alcachofa, sacar toda esta mezcla en pan ahuecado. Coloque la parte superior sobre el pan y envuélvalo en un espesor doble de papel de aluminio resistente. Hornee en horno a 350 grados durante 1 hora y media.

d) Cuando esté listo, retire el papel de aluminio y sirva, usando pan de centeno para mojar la salsa.

33. Dip de pollo Buffalo

- 1 paquete (8 onzas) de queso crema
- $^{1}/2$ taza de salsa al rojo vivo de Frank
- $^{1}/4$ taza de leche de coco enlatada entera
- 11/2 tazas de pollo cocido desmenuzado
- $^{3}/4$ taza de queso mozzarella rallado, cantidad dividida
- $^{1}/2$ taza de queso azul desmenuzado

1Agregue el queso crema a una cacerola mediana y caliente a fuego medio-bajo hasta que se derrita. Agregue la salsa picante y la leche de coco.

2 Cuando esté combinado, agregue el pollo hasta que esté bien caliente.

3 Retire del fuego y agregue 1/2 taza de queso mozzarella y queso azul desmenuzado.

4Transfiera a una fuente para hornear de 8 "× 8" y espolvoree el queso mozzarella restante encima. Hornee por 15 minutos o hasta que el queso esté burbujeante. Sirva caliente.

34. Dip de pizza

- 1 paquete (8 onzas) de queso crema, ablandado
- 1/2 taza de yogur griego natural
- 1 cucharadita de orégano seco
- 1/4 cucharadita de albahaca seca
- 1/2 cucharadita de cebolla granulada

- 1/ 2 cucharadita de ajo granulado
- 3/ 4 taza de salsa para pizza sin azúcar agregada
- 1/ 2 taza de queso mozzarella rallado
- 1/ 4 cucharadita de sal
- 1/ 4 cucharadita de pimienta negra

1 Precaliente el horno a 350 ° F.

2Combine el queso crema, el yogur, el orégano, la albahaca, la cebolla y el ajo en un tazón mediano y mezcle con una batidora de mano hasta que se combinen. Extienda la mezcla en el fondo de un molde para hornear de 8 "× 8".

3 Unte la salsa para pizza sobre la mezcla de queso crema, espolvoree con queso mozzarella y cubra con sal y pimienta.

4Hornee tapado 15 minutos. Retire la tapa y hornee por 10 minutos más o hasta que el queso esté dorado y burbujeante.

35. Dip de rancho

- 1 taza de mayonesa
- 1/ 2 taza de yogur griego natural
- 11/2 cucharaditas de cebollino seco
- 11/2 cucharaditas de perejil seco
- 11/2 cucharaditas de eneldo seco
- 3/ 4 cucharadita de ajo granulado
- 3/ 4 cucharadita de cebolla granulada

- 1/ 2 cucharadita de sal
- 1/ 4 cucharadita de pimienta negra

1 Combine todos los ingredientes en un tazón pequeño.

2 Deje reposar en el refrigerador 30 minutos antes de servir.

36. Dip picante de camarones y queso

- 2 rebanadas de tocino sin azúcar añadido
- 2 cebollas amarillas medianas, peladas y cortadas en cubitos
- 2 dientes de ajo picados
- 1 taza de camarones con palomitas de maíz (no empanizados), cocidos
- 1 tomate mediano, cortado en cubitos
- 3 tazas de queso Monterey jack rallado
- 1/ 4 cucharadita de salsa Frank's RedHot

- 1/ 4 cucharadita de pimienta de cayena
- 1/ 4 cucharadita de pimienta negra

1Cocine el tocino en una sartén mediana a fuego medio hasta que esté crujiente, aproximadamente de 5 a 10 minutos. Mantenga la grasa en la sartén. Coloca el tocino sobre una toalla de papel para que se enfríe. Cuando esté frío, desmenuza el tocino con los dedos.

2 Agregue la cebolla y el ajo a la grasa del tocino en la sartén y saltee a fuego medio-bajo hasta que estén suaves y fragantes, aproximadamente 10 minutos.

3Combine todos los ingredientes en una olla de cocción lenta; revuelva bien. Cocine tapado a temperatura baja de 1 a 2 horas o hasta que el queso se derrita por completo.

37. Dip de ajo y tocino

- 8 rebanadas de tocino sin azúcar añadido
- 2 tazas de espinaca picada
- 1 paquete (8 onzas) de queso crema, ablandado
- $^{1}/\,4$ taza de crema agria entera
- $^{1}/\,4$ taza de yogur griego natural sin grasa
- 2 cucharadas de perejil fresco picado

- 1 cucharada de jugo de limón
- 6 dientes de ajo asados, machacados
- 1 cucharadita de sal
- $^{1}/2$ cucharadita de pimienta negra
- $^{1}/2$ taza de queso parmesano rallado

1 Precaliente el horno a 350 ° F.

2Cocine el tocino en una sartén mediana a fuego medio hasta que esté crujiente. Retire el tocino de la sartén y déjelo a un lado en un plato forrado con toallas de papel.

3Agregue las espinacas a la sartén caliente y cocine hasta que se ablanden. Retirar del fuego y dejar de lado.

4 En un tazón mediano, agregue el queso crema, la crema agria, el yogur, el perejil, el jugo de limón, el ajo, la sal y la pimienta y bata con una batidora de mano hasta que se combinen.

5Pique el tocino y revuélvalo con la mezcla de queso crema. Agregue la espinaca y el queso parmesano.

6 Transfiera a un molde para hornear de 8 "× 8" y hornee por 30 minutos o hasta que esté caliente y burbujeante.

38. Dip cremoso de pesto de queso de cabra

INGREDIENTES

- 2 tazas de hojas de albahaca frescas empaquetadas
- $\frac{1}{2}$ taza de queso parmesano rallado
- 8 onzas de queso de cabra
- 1-2 cucharaditas de ajo picado
- $\frac{1}{2}$ cucharadita de sal
- $\frac{1}{2}$ taza de aceite de oliva

Direcciones:

a) Mezcle la albahaca, los quesos, el ajo y la sal en un procesador de alimentos o licuadora hasta que quede suave. Agregue el aceite de oliva en un chorro uniforme y mezcle hasta que se combinen.

b) Sirva inmediatamente o guárdelo en el frigorífico.

39. Súper dip de pizza caliente

Ingredientes:

- Queso crema ablandado
- Mayonesa
- Queso mozzarella
- Albahaca
- Orégano
- Polvo de ajo
- Pepperoni
- Aceitunas negras
- Pimientos verdes

Direcciones::

a) Mezcle el queso crema ablandado, la mayonesa y un poco de queso mozzarella. Agregue una pizca de albahaca, orégano, perejil y ajo en polvo, revuelva hasta que esté bien combinado.

b) Llénelo en su plato hondo para pastel y extiéndalo en una capa uniforme.

c) Unte su salsa para pizza encima y agregue sus ingredientes preferidos. Para este ejemplo, agregaremos queso mozzarella, pepperoni, aceitunas negras y pimientos verdes. Hornee a 350 por 20 minutos.

40. Dip de Espinacas y Alcachofas al Horno

Ingredientes

- Lata de 14 oz de corazones de alcachofa sin marinar, escurridos y picados en trozos grandes
- 10 oz de espinaca picada congelada descongelada
- 1 taza de mayonesa real de HELLMANN. La receta original requiere mayonesa ligera para reducir las calorías.
- 1 taza de queso parmesano rallado
- 1 diente de ajo prensado

Direcciones:

a) Descongele las espinacas congeladas y luego exprímalas para secarlas con las manos.

b) Mezcle: alcachofa escurrida y picada, espinaca exprimida, 1 taza de mayonesa, 3/4 taza de queso parmesano, 1 diente de ajo prensado y transfiera a una cazuela de 1 cuarto de galón o un molde para pastel. Espolvoree el 1/4 de taza restante de queso parmesano.

c) Hornee sin tapar durante 25 minutos a 350°F o hasta que esté completamente caliente. Sirva con su crostini, papas fritas o galletas saladas favoritas.

POPS DE FIESTA

41. Paletas De Tocino Y Queso De Cabra

INGREDIENTES

- 8 rebanadas de tocino, cocidas hasta que estén crujientes
- 4 onzas de queso de cabra
- 4 onzas de queso crema (¡no batido!)
- 1 cucharadita de miel
- 1 cucharadita de tomillo
- 2 cucharadas de perejil finamente picado
- 1/2 cucharadita de pimienta recién molida
- 20 chips de manzana al horno (necesitará usar 2 manzanas)

Direcciones:

a) Dale palmaditas a cada trozo de tocino cocido con una toalla de papel para eliminar la grasa. Pica finamente el tocino y colócalo en un tazón pequeño. Agregue el tomillo, el perejil y la pimienta fresca molida y revuelva para combinar. Dejar de lado.

b) En un tazón mediano agregue el queso de cabra, el queso crema y la miel. Con un tenedor o una cuchara de madera, mezcle hasta que esté bien combinado.

c) Enrolle la mezcla de queso de cabra en bolas del tamaño de un pulgar. Enrolla cada una de estas bolas en la mezcla de tocino. Ponga a un lado en una bandeja para hornear. Guarde las bolas, cubiertas con un trozo de envoltura de saran, en su refrigerador hasta que estén listas para servir.

d) Coloque 1 bola de queso de cabra encima de cada chip de manzana horneado. Inserta un palito de piruleta en la parte superior de cada bola de queso de cabra.

42. Paletas de coco y vainilla

- 2 tazas de crema de coco sin azúcar, fría
- 1/ 4 taza de coco rallado sin azúcar
- 1 cucharadita de extracto de vainilla
- 1/ 4 taza de eritritol o Swerve granular

1 Coloque todos los ingredientes en una licuadora y mezcle hasta que estén completamente mezclados, aproximadamente 30 segundos.

2 Vierta la mezcla en 8 moldes para paletas, golpeando los moldes para desalojar las burbujas de aire.

3 Congele al menos 8 horas o durante la noche.

4Retire las paletas de los moldes. Si las paletas son difíciles de quitar, coloque los moldes bajo agua caliente brevemente y las paletas se soltarán.

43. Paletas heladas de dulce de azúcar

Ingrediente

- 1 paquete (3 3/4 oz) de dulce de chocolate
- Relleno de pudín y tarta.
- 2 cucharadas Azúcar
- 3 tazas Leche

a) Combine la mezcla de pudín, el azúcar y la leche en una cacerola. Cocine a fuego medio, revolviendo constantemente, hasta que la mezcla hierva por completo. Retirar del fuego y enfriar 5 min. revolviendo dos veces. Coloque en el congelador unos 30 minutos para que se enfríe y espese. Vierta la mezcla en los 10 vasos de papel de tres onzas e inserte un palito de paleta de madera o una cuchara de plástico en cada vaso. Cubre cada taza con papel de aluminio después de hacer un pequeño orificio lo suficientemente grande como para pasar el mango de una cuchara o un palo.

b) La lámina ayuda a colocar los palitos en posición vertical y evitará que las paletas se deshidraten. Congele hasta que esté firme. Corta los vasos de papel antes de servir.

44. Paletas de naranja y arándano

Ingrediente

- 1 (6 oz) lata de jugo de naranja concentrado congelado, ablandado
- O use jugo de uva, jugo de arándano
- 1 (6 oz) de agua en lata
- 1 pinta Helado de vainilla, ablandado o 2 envases de
- Yogurt natural
- palitos de helados
- Tazas

a) Revuelva en una licuadora. Vierta en moldes, inserte palitos y congele.

45. Paletas polinesias

- 1 taza de leche desnatada
- 1 sobre de gelatina sin sabor
- $\frac{1}{2}$ taza de miel o azúcar
- 1 clara de huevo
- $1\frac{1}{4}$ tazas de néctar de albaricoque o jugo de piña enlatado
- palitos de helado y tazas

a) Vierta la leche en la licuadora y agregue la gelatina. Deje ablandar durante un minuto antes de agregar el resto de los ingredientes para batir.
b) Vierta en moldes, inserte palitos y congele.

46. Crema batida de melocotón CREAMSICLES

- 1 (6 oz) lata de duraznos en almíbar ligero o 2 duraznos maduros frescos, en rodajas y sin hueso
- 1 taza de crema espesa
- 1 cucharadita de azúcar o miel (opcional)
- palitos de helado y tazas

a) Batir la crema en una licuadora durante 30-45 segundos. Agrega los melocotones y la miel.
b) Revuelva hasta que quede suave. Vierta en moldes, inserte palitos y congele.

47. Paletas de chocolate

- 1 envase (8 oz) de yogur natural
- 2 cucharadas de cacao o algarroba en polvo
- 2 cucharadas de azúcar morena o miel
- palitos de helado y tazas

a) Licuar en una licuadora, verter en moldes, insertar palitos de helado y congelar.

48. Conos de nieve de vidrio

a) Congele el jugo de naranja (o cualquier otro jugo con sabor) en bandejas para cubitos de hielo. Ponga los cubos de jugo congelados en una bolsa de plástico para almacenar.
b) Ponga de tres a seis de estos cubos a la vez en una licuadora.
c) Enciende y apaga la licuadora hasta que los cubos adquieran una consistencia nevada. Ponlos en una taza para servir.

d) Todo el lote mezclado de una vez mantendrá su consistencia de carnaval almacenada en un recipiente en el congelador. Los niños pueden servirse solos.

e) Agregar un poco de agua lo convierte en un "aguanieve". Incluso a los niños que no les gusta el jugo de naranja les gusta de esta manera.

49. Paletas de sandía

- 1 taza de trozos de sandía sin semillas
- 1 taza de jugo de naranja
- 1 taza de paleta de agua
- palitos y tazas

a) Mezcle estos ingredientes en una licuadora, vierta en moldes, inserte palitos y congele.
b) Atender

50. Paletas de Matcha

- 2 tazas de crema de coco sin azúcar, fría
- 2 cucharadas de aceite de coco
- 1 cucharadita de matcha
- 1/ 4 taza de eritritol o Swerve granular

1 Coloque todos los ingredientes en una licuadora y mezcle hasta que estén completamente mezclados, aproximadamente 30 segundos.

2 Vierta la mezcla en 8 moldes para paletas, golpeando los moldes para desalojar las burbujas de aire.

3 Congele al menos 8 horas o durante la noche.

4Retire las paletas de los moldes. Si las paletas son difíciles de quitar, coloque los moldes bajo agua caliente brevemente y las paletas se soltarán.

CONCLUSIÓN

Gracias por llegar a este punto.

Las posibilidades son infinitas. ¡Hay tantos tipos diferentes de aperitivos para picar que puedes servir antes de la cena!

Si no tiene el tiempo o el ancho de banda para montar 60 mini deslizadores, ¡no lo haga! Si no puede pagar las pinzas de cangrejo, ¡elija algo que sea económico y económico!

Si sus invitados son cetogénicos, vegetarianos, veganos o tienen otras alergias, es posible que desee servir aperitivos que marquen todas las casillas de manera segura O tener algunas variedades diferentes para que cada invitado esté contento.

Lightning Source UK Ltd.
Milton Keynes UK
UKHW020627140621
385475UK00001B/107